folio
premie

Maquette : Karine Benoit

ISBN : 978-2-07-057548-0

N° d'édition : 311720
Loi n° 49-956 du 16 juillet 1949 sur les publications destinées à la jeunesse
Premier dépôt légal : octobre 2007
Dépôt légal : octobre 2016
Imprimé en Espagne par Novoprint (Barcelone)

Jean Giono

Le petit garçon qui avait envie d'espace

illustré par François Place

GALLIMARD JEUNESSE

Il y avait un petit garçon qui habitait un pays de plaines. Tous les dimanches après-midi il allait se promener avec son père dans des chemins bordés de haies. Ils marchaient pendant des heures entre des murailles de clématites et d'aubépines. Ils avaient toujours envie de voir le pays qui les entourait.

En réalité, dans ces longues promenades, ils avaient toujours l'espoir d'aboutir finalement dans un endroit où il n'y aurait plus ces haies qui bouchaient la vue. Mais ils n'arrivaient jamais à en sortir. Un chemin bordé d'aubépines tombait dans un chemin bordé de hautes clématites, puis dans un autre bordé de petits érables touffus, puis dans un autre bordé d'aubépines, et ainsi de suite. À la longue, ils perdaient patience, et ils s'arrangeaient pour passer de l'autre côté des haies en empruntant les trouées destinées aux vaches. C'était pour se trouver tout simplement devant un carré de foin vert pas plus grand que la place du village et bordé lui-même de hautes barrières de peupliers, de trembles et de saules.

– C'est bête, disait le petit garçon,

traversons le pré et allons voir ce qu'il y a de l'autre côté des arbres.

C'est ce qu'ils faisaient ; mais, de l'autre côté, c'était encore un carré de foin vert bordé de hautes barrières de peupliers, de trembles et de saules. Si bien que le père et l'enfant finissaient par marcher dans les chemins la tête basse, comme des condamnés à mort.

Cependant, le paysage autour d'eux était certainement vaste, et même il devait être beau. On pouvait s'en rendre

compte grâce au vol des oiseaux. Les canards sauvages passaient avec une telle lenteur majestueuse dans le ciel qu'on était bien obligé d'imaginer la grandeur des étendues sur lesquelles ils se promenaient ainsi en ménageant leurs forces. Les geais, les huppes, les mésanges bleues, même les pies qui déployaient des damiers en s'envolant, et même les corbeaux qui devenaient verts en plein soleil, montraient par la variété de leur plumage, par leurs diverses couleurs, toutes vives et vernies, que le pays était certainement très beau, puisqu'il avait obligé les oiseaux à revêtir des vêtements si magnifiques pour l'habiter.

Le père et le petit garçon marchaient donc la tête basse mais, du coin de l'œil, ils voyaient les oiseaux, ou bien ils étaient forcés de les entendre chanter, battre des ailes dans les feuilles, et ils entretenaient ainsi toujours dans leur cœur le désir de voir le pays.

C'est le petit garçon qui, un jour, eut une idée :

– Si je montais dans un arbre, dit-il. Pas très haut, juste assez pour dépasser la crête des haies, peut-être que je pourrais voir quelque chose. En tout cas, je te le dirais, et toi, qui es plus fort, tu grimperais jusqu'au sommet de l'arbre et tu me crierais tout ce que tu vois. Qui sait même si, en me tirant par le bras, tu n'arriverais pas à me faire monter, moi aussi, pour que je voie l'espace. De toute façon c'est mieux qu'ici dessous où l'on ne voit rien. Qu'est-ce que tu en dis ? Tu ne veux pas ?

– Ce n'est pas une mauvaise idée, ça, dit le père. Est-ce que, par exemple, tu pourrais grimper à ce peuplier ? Jusqu'à cette grosse branche-là. Ça me paraît facile.

– C'est très facile, dit le petit garçon. Tu vas voir.

– Fais attention de ne pas déchirer ta culotte, dit le père, sans quoi ta mère nous tirerait les oreilles.

Le petit garçon monta très bien jusqu'à la grosse branche.

– Tu es très habile, dit le père. C'est la première fois que tu montes dans un arbre ?

– Oui, dit le petit garçon.

(Car il se souvint à temps qu'il ne fallait pas trop dévoiler de secrets.)

– Alors, qu'est-ce que tu vois de là-haut ?

Le petit garçon se tourna de tous les côtés.

– Eh bien, dit-il, je ne vois absolument rien du tout.

– Mais quoi ?

– Exactement comme d'en bas. Les arbres me bouchent la vue. Il faudrait monter plus haut. Ou bien, tiens, il faudrait aller grimper dans ces arbres qui sont plus loin là-bas.

– Ce sera pareil, dit le père, tu seras comme une sauterelle dans le foin, tu n'arriveras jamais à voir par-dessus la cime des arbres et, même si tu y arrivais, tu ne verrais que la cime des arbres. Descends.

Mais il fallut le répéter plus de trois fois. Le petit garçon était vraiment très malheureux : il avait entrepris quelque chose et il n'était arrivé à rien. Est-ce que c'était toujours comme ça ? Et même, il était en colère (c'était un joli petit garçon avec une grosse tête bien obstinée). Quand il fut en bas de l'arbre, son père lui dit :

– Arrive un peu ici que je te passe l'inspection. Si tu as verdi ta culotte, nous nous ferons gronder. Nous n'y couperons pas. Et maintenant, qu'est-ce que tu veux qu'on fasse ?

La seule chose que le petit garçon avait envie de faire, c'était de regrimper à cet arbre, mais bien plus haut, jusqu'au sommet. Puis, s'il ne voyait rien de là, courir à un autre arbre et grimper jusqu'au sommet. Et ainsi de suite, jusqu'au moment où, ayant trouvé un arbre convenable, il verrait de son sommet tout le pays s'arrondir autour de lui. Mais il se rendait compte que c'était très difficile de faire comprendre cette chose si simple à une grande personne. Alors il dit :

– Je ne sais pas, moi. Rentrons, si tu veux.

– C'est à peine le début de l'après-midi, dit le père. C'est trop tôt pour rentrer. Ta mère nous demanderait pourquoi nous sommes si tôt de retour. Nous avons le temps ; faisons quelque chose.

– Oui, mais quoi alors ?

– On va aller voir le moulin, si tu veux.

– On va toujours voir le moulin.

– Il y a huit jours qu'on n'y est pas allé. Si tu préfères, on fait le tour par la ferme des Chaband. Peut-être même qu'ils auront du miel.

Le miel était évidemment une chose intéressante. Mais aujourd'hui, plus particulièrement aujourd'hui, parce qu'il avait vraiment tenté quelque chose de nouveau pour s'élever au-dessus des haies, plus que de miel le petit garçon avait envie d'espace. Toutefois il était, malgré tout, d'un âge (il avait huit ans) et d'une condition (son père était menuisier) où l'on sait que, généralement, faute de grives on mange des merles. Il dit :

– Bon, si tu veux, allons chez les Chaband.

Mais à la ferme il n'y avait pas de miel. Les Chaband qui, d'habitude, donnaient chaque fois au petit garçon un morceau de gâteau de cire bien juteux qu'il pouvait mâcher tout le long de son retour à la maison, s'exclamèrent :

– Justement, tout le miel des ruches a été porté à l'essoreuse !

Cela semblait un fait exprès ! Ah non, il n'y avait pas de quoi être content de cette journée-là. Rien ne réussissait. Et le retour fut bien morne. Il semblait que les haies n'avaient jamais été si hautes, ni si épaisses. Même l'odeur des sureaux était amère. Et la joie des oiseaux était bien pénible à entendre. Ils se réunissaient en grosses pelotes à l'approche du soir et ils faisaient de leur troupe comme un ballon élastique qui rebondissait de la prairie dans les feuillages, et de feuillages en feuillages. Mais à quoi bon les suivre du regard puisque parfois, quand ils sautaient très haut dans le ciel, ils se mettaient à y crier comme un couteau qui coupe un citron, tant la joie qu'ils avaient sans doute de voir à ce moment-là le soir tout bleu s'étendre sur les espaces du pays les excitait. Tandis qu'en bas, dans les chemins bordés de haies, on n'avait qu'une ombre grise juste bonne à vous faire détourner les pieds contre des pierres ou dans les vieilles ornières dures.

– On dirait que tu n'es pas content, mon petit fiston, dit la mère. Tu n'as pas fait une bonne promenade ?

– Oh si, dit le petit garçon.

Mais le cœur n'y était pas.

Le père était très malin. Il était cependant un peu inquiet. Il n'était pas absolument certain d'avoir bien regardé la culotte. Il se demandait si elle ne portait pas quelque part une trace du vert des feuilles ou une trace d'écorce. Il savait qu'en ce qui concernait la pureté absolue de la culotte des dimanches, la mère avait un œil très perçant. Il n'osa bien entendu pas parler de la tentative qu'il avait encouragée, et il prétendit qu'il était question de miel, mais en même temps il jeta au petit garçon un regard entendu. C'était somme toute très bon d'avoir un secret avec son père. Cela consolait presque de n'avoir pas vu tout l'espace du pays. Mais presque seulement ; et sans la bonne odeur des copeaux et des planches rabotées qui venait de l'atelier, la soirée aurait été extrêmement triste.

Il y eut même un moment difficile à passer. Ce fut à la tombée de la nuit ; la mère tardait à allumer la lampe pour économiser un peu, et l'ombre démesurait l'espace entre les murs de la maison. Le coin où se tenait le balai semblait s'être éloigné à des centaines de kilomètres au fond desquels luisait une toute petite trace jaune qu'on pouvait imaginer être la lueur des lampes au-dessus d'une grande ville très lointaine. Le mur contre lequel était l'armoire avait reculé

lui aussi, bien au-delà des haies et des barrières d'arbres, et il était très facile, de ce côté-là, de voir, comme du haut d'une montagne, tout un large pays nocturne plein de lacs qui luisaient, un peu roses (car c'était une armoire en bois de noyer verni). Le petit garçon aurait dû être très content de ces visions. Puisqu'il voulait contempler l'espace, il en avait un à contempler cette fois. Mais non.

Enfin, la lampe fut allumée et il retrouva le balai et l'armoire avec plaisir. Il était comme un aviateur qui n'ose pas partir, comme un marin qui n'ose pas monter sur son bateau.

Il y eut ce soir-là, comme tous les dimanches, une très bonne tarte aux pommes, et le père (qui était malin) permit au petit garçon de boire un doigt de vin sucré ; puis il l'envoya au lit.

Et c'est dans le lit que la chose arriva.

Le petit garçon allongea ses jambes dans les draps frais et il poussa un soupir. Il n'avait pas encore fini de pousser son soupir qu'il était en haut de l'arbre. Et de quel arbre ! On n'avait jamais vu un arbre comme ça ! D'abord immense. Et puis, savez-vous ce qu'il y avait dans cet arbre, c'est-à-dire dans le feuillage de cet arbre ? Vous ne savez pas ? Eh bien, un escalier. Un escalier en colimaçon ! Un escalier avec une rampe pour ne pas tomber, et la rampe était exactement semblable à celle que le forgeron du village était en train de forger pour l'escalier de la maison neuve de Mme Burle. Le petit garçon ne pouvait pas se tromper ; il était resté près de la forge tout le jeudi à regarder battre le fer, il connaissait cette rampe comme sa poche. C'était elle, mais naturellement bien plus longue, puisqu'elle courait tout

le long de cet escalier en colimaçon qui perçait le feuillage du grand arbre comme un tire-bouchon. Et en lui-même cet escalier était déjà prodigieux. Imaginez qu'il tournait dans de telles épaisseurs de feuilles que le petit garçon (qui montait, bien sûr) avait les narines pleines de cette bonne odeur d'anis que distille le feuillage des peupliers quand il est chauffé par le soleil, imaginez que cet escalier passait dans des tunnels pleins du miroitement de toutes ces feuilles tremblantes, qu'il était suspendu comme un pont sur un fleuve de verdure qui bruissait sous lui tout doucement comme de l'eau paisible. Tout ce que je vous raconte là, d'ailleurs : l'odeur, le miroitement, le bruissement, tout cet enchantement avait duré sans doute juste le temps de pousser le soupir, puisque, je vous l'ai dit, le soupir n'était même pas encore tout entièrement poussé que le petit garçon était déjà en haut de l'arbre, tellement il avait envie de voir enfin l'espace libre.

Et il le vit.

C'était comme un immense tapis sur lequel les couleurs dessinaient des formes : des carrés, des triangles, des rectangles, des losanges, ou bien de grandes formes avec de nombreux côtés. Toutes ces formes étaient cousues les unes aux autres, comme les pièces de la belle descente de lit que sa mère avait faite avec des morceaux d'étoffe. Il y avait des labours, des prés, des champs, des vergers, des forêts. Et ce tapis s'en allait aussi loin que l'œil pouvait voir. Le plus grand étonnement du petit garçon fut de se rendre compte que l'œil pouvait voir si loin.

Il comprenait maintenant ce qu'on voulait dire quand on disait « à perte de vue ». C'était très loin. C'était même si loin que peut-être ça n'existait pas. Car sa vue à lui ne se perdait pas, elle s'en allait simplement jusqu'à l'endroit où le tapis de l'espace rejoignait le tapis du ciel. La vue ne pouvait pas aller plus loin, parce qu'elle ne pouvait pas passer entre les deux tapis joints. Elle n'était pas perdue pour si peu. Il était même certain que, si on pouvait soulever le ciel, ou un peu abaisser la terre, décoller les deux tapis, la vue des hommes (et du petit garçon) pourrait s'en aller encore fort loin sans se perdre.

Pendant que le petit garçon faisait toutes ces réflexions, et qu'il regardait soigneusement de tous les côtés, sans pouvoir se rassasier de la vue de l'espace, il se passait quelque chose de terrible (ou de magnifique) dont il ne s'apercevait pas. L'espace était si vaste, il s'en allait si loin, il s'arrondissait si largement qu'il en était attirant comme un aimant. Comme un de ces aimants en forme de fer à cheval avec lequel le petit garçon s'amusait à soulever les plumes de son plumier. Seulement, l'espace était un aimant énorme, et au lieu de soulever des plumes métalliques, sa force attirante soulevait le petit garçon lui-même. Il y avait longtemps déjà que ses pieds avaient quitté le sommet de l'arbre : quand il s'en aperçut, il était suspendu en l'air comme un oiseau. Sur le moment, il eut très peur, son ventre se serra. Tout le monde à sa place aurait poussé un cri. Le sommet de l'arbre était en bas loin au-dessous de ses pieds, pas plus gros qu'une pointe d'épingle. Mais il ne cria pas. Au contraire, il serra les dents, tellement il avait envie de profiter de l'espace sous toutes ses formes et dans toutes ses manifestations. Tout de suite il se rendit compte que, si on aimait l'espace, c'était cela qui arrivait inévitablement et que, par conséquent, il fallait s'y habituer. C'était d'ailleurs facile, et le spectacle était si beau que le petit garçon oublia sa position extraordinaire pour goûter son plaisir.

Il s'en allait maintenant carrément dans l'espace, et je vous garantis que, cette fois, il n'y avait plus de haies. Plus une miette ! Plus de barrières d'arbres ! Pas la queue d'une. Les haies étaient, loin en dessous, de petits traits noirs, les barrières d'arbres de petites sinuosités vertes, comme on en fait quand on promène son pinceau sur du papier avant de faire de la peinture. Il s'en allait droit devant lui, libre de regarder de tous les côtés à perte de vue (il n'était pas inquiet, il savait que la vue ne peut pas se perdre, il la laissait s'en aller toute seule). Il passait au-dessus de petits villages rouges, de petits lacs bleus, de fleuves verts, de montagnes blanches comme des pains de sucre.

Mon Dieu, qu'il y en avait, de ces villages, de ces lacs, de ces fleuves, de ces montagnes. Tout se touchait, c'était le cas de le dire. Il n'y avait pas un seul endroit du monde sans quelque chose. Là où l'on croyait qu'il n'y avait rien, eh bien, il y avait un désert ! Quel admirable monde ! C'était vraiment autre chose que la promenade au moulin, ou le tour par la ferme des Chaband !

Où était le moulin en bas dessous ? On ne pouvait pas savoir. Il y avait à l'instant même des centaines et des centaines de moulins. Et des moulins à vent, qui plus est ! Justement des moulins à vent que le petit garçon avait toujours désiré voir « en vrai » depuis qu'il avait lu *Don Quichotte*. Eh bien ils étaient là, pareils à des pâquerettes avec leurs grandes ailes blanches tournant autour de leurs toits jaunes. Il y en avait des tapis. Et les Chaband, qui sait où ils sont dans toutes ces fermes en bas dessous ?

C'était naturellement impossible à savoir. Les abeilles, c'est très petit. Comment distinguer une ferme à ses abeilles ? Il y avait peut-être un moyen. Père avait dit un jour que les grands ennemis des abeilles, c'étaient les mésanges à tête bleue. Le petit garçon savait fort bien ce que c'était, une mésange à tête bleue : c'était un petit oiseau qui se réunit en troupe autour des parages où il y a des ruches (non pas parce qu'il se nourrit de miel, mais parce qu'il se nourrit d'abeilles), un petit oiseau qui, lorsqu'il s'enfuit, ressemble à un éclair bleu. Et quand toute une troupe s'enfuit, quel bel éclair cela doit faire !

Et, en effet, voilà que, tout de suite, en bas dessous, autour de toutes les fermes, d'énormes étincelles bleues se mirent à éclater. Et pendant qu'ainsi, dans tout

l'espace en train de vivre éclataient les étincelles bleues des fermes à abeilles, tournaient les ailes de pâquerettes des moulins à vent, rougissaient les toits des villages à travers les herbes (qui étaient des arbres), miroitaient les lacs, coulaient les fleuves, pointait le sucre des montagnes, devant ce spectacle si extraordinaire, le petit garçon poussa un cri. Il se réveilla.

– Qu'est-ce que tu as à bouger de cette façon, fiston, lui dit sa mère penchée sur lui. Allons, reste tranquille. Tu étais tout découvert.

Il soupira et se tourna sur le côté. Certes, le visage de mère sous sa coiffe de nuit était aussi très agréable à voir. Mais le plus important semblait être ailleurs désormais. « Je sais maintenant comment il faut faire pour dépasser toutes les haies et m'en aller bien plus haut que tous les arbres, se dit le petit garçon. Je sais désormais faire quelque chose de très important. »

(Qu'est-ce que ça peut bien être, cette chose si importante ? Je ne sais pas, moi !)

Jean Giono est né le 30 mars 1895 à Manosque, en Provence. Après des études secondaires, il devient employé de banque. Mobilisé en janvier 1915, il participe notamment aux batailles de Verdun et du Chemin des Dames. Il perd son meilleur ami et restera à jamais marqué par l'horreur de la guerre, des massacres et de la barbarie. Il deviendra un pacifiste convaincu. En 1920, il épouse une amie d'enfance, Élise. Ils auront deux filles, Aline et Sylvie. Lorsqu'en 1930 la banque qui l'emploie ferme et lui offre une situation ailleurs, il choisit de rester dans sa ville et de se consacrer à la littérature. Sa carrière d'écrivain a commencé avec *Colline*, en 1929, qui connaît un grand succès tant auprès du public que de la critique, puis *Regain*, en 1930, et s'est affirmée dans les années 1950 avec *Un hussard sur le toit*, *Angelo*...
La nature tient une grande place dans son œuvre. Il a en particulier toujours aimé les arbres qu'il a célébrés dans *L'Homme qui plantait des arbres*, son autre titre paru dans la collection Folio Cadet.
Jean Giono est mort le 9 octobre 1970.

Né en 1957, **François Place** a étudié l'expression visuelle à l'école Estienne. Son premier livre comme auteur-illustrateur, *Le Livre des navigateurs*, paraît en 1988 chez Gallimard Jeunesse. Suivront alors *Les Derniers Géants* (Casterman) et sa trilogie l'*Atlas des géographes d'Orbæ* (Casterman/Gallimard) qui remporte de nombreux prix. Aux Éditions Gallimard Jeunesse, il a rendu hommage au peintre Hokusaï dans *Le Vieux Fou de dessin*, célébré l'Afrique avec *Le Prince bégayant*. Il mêle aussi son imaginaire d'illustrateur à celui d'auteurs de fiction tels Michael Morpurgo, dont il a illustré la plupart des livres, ou Timothée de Fombelle, pour *Tobie Lolness*. Dans la collection Folio Cadet, François Place a déjà illustré *Contes d'un royaume perdu*, d'Erik L'Homme, ainsi que *La Chèvre de M. Seguin*, d'Alphonse Daudet.

Du même auteur

L'homme qui plantait des arbres

illustré par Willi Glasauer

n° 180

Au cours d'une de ses promenades en Haute-Provence, Jean Giono a rencontré un personnage extraordinaire, un berger solitaire et paisible qui plantait des arbres, des milliers d'arbres. Au fil des ans, le vieil homme a réalisé son rêve : la lande aride et désolée est devenue une terre pleine de vie…

■■■

Découvre d'autres belles histoires
dans la collection Folio Cadet *premiers romans*

Voyage au pays des arbres
de J.M.G. Le Clézio illustré par Henri Galeron
n° 187
Un petit garçon qui s'ennuie et qui rêve de voyager s'enfonce dans la forêt, à la rencontre des arbres. Il prend le temps de les apprivoiser, surtout le vieux chêne, qui a un regard si profond. Il peut même les entendre parler. Et quand les jeunes arbres l'invitent à leur fête, le petit garçon sait qu'il ne sera plus jamais seul

■■■

Contes pour enfants pas sages
de Jacques Prévert illustré par Elsa Henriquez
n° 181
Une autruche qui mange des cloches et fait la conversation au Petit Poucet, des antilopes mélancoliques, un dromadaire mécontent que l'on traite de chameau, un éléphant de mer assis sur le ventre qui jonglerait avec des armoires à glace... Prévert n'a pas fini de nous surprendre !

■■■

Pierrot ou les secrets de la nuit
de Michel Tournier illustré par Danièle Bour
n° 172
Pierrot le boulanger aime Colombine, son amie d'enfance, sa jolie voisine. Colombine est blanchisseuse et travaille le jour. Petit à petit, elle se lasse de cet amoureux qui

travaille pendant que les autres dorment. Passe Arlequin, le peintre aux couleurs de l'arc-en-ciel...

■■■

Petits contes nègres pour les enfants des blancs

de Blaise Cendrars illustré par Jacqueline Duhême

n° 224

Connais-tu l'Afrique et ses légendes ? Voici le conte du Vent, le conte du Caïman que personne ne porte plus pour le mettre à l'eau, le conte de l'Oiseau de la cascade et le chant des Souris... Un recueil savoureux.

■■■

Comment Wang-Fô fut sauvé

de Marguerite Yourcenar illustré par Georges Lemoine

n° 178

Voici l'histoire de Wang-Fô, le fameux peintre chinois. Ses tableaux étaient si beaux qu'on les disait magiques. Un jour, l'Empereur convoqua le vieux maître qu'il admirait tant pour le menacer d'un terrible châtiment.

■■■